INGLÉS PARA ENAMORAR

Inglés para enamorar

Grupo Editorial Tomo, S.A. de C.V.,
Nicolás San Juan 1043,
03100, México, D.F.

1a. edición, noviembre 2011.

© *Inglés para enamorar*
Grupo Editorial Tomo S.A. de C.V.

© 2011, Grupo Editorial Tomo, S.A. de C.V.
Nicolás San Juan 1043, Col. Del Valle. 03100, México, D.F.
Tels. 5575-6615 • 5575-8701 y 5575-0186
Fax. 5575-6695
http://www.grupotomo.com.mx
ISBN-13: 978-607-415-344-6
Miembro de la Cámara Nacional
de la Industria Editorial No. 2961

Diseño de portada: Karla Silva
Imágenes interiores: Emigdio Guevara, Ricardo Sosa y Kevin Daniels
Diseño tipográfico: Armando Hernández
Supervisor de producción: Leonardo Figueroa

Impreso en México - Printed in Mexico

Contenido

Introducción

Este pequeño manual tiene el propósito de que logres expresarte en inglés, en especial en el área de la amistad y el amor. Queremos ayudarte a conocer a alguien que pueda llegar a ser especial para ti a pesar de la barrera del idioma.

Empezaremos con frases para entrar en contacto con una persona, presentarte y empezar a conocerla. Después vienen conversaciones sobre lugares y momentos en que puedan estar juntos y cultivar una amistad. También incluiremos los necesarios "piropos" en la cultura estadunidense, y formas de decirle a alguien el afecto que sientes por él o por ella.

Esperamos que este manual abra para ti caminos de amor en el nuevo país que estás conociendo.

Notas sobre gramática inglesa

Bases de la pronunciación inglesa

Estas breves notas explican los puntos de la gramática inglesa que más difieren del español, con el propósito de ayudar al lector a entender la estructura del idioma. No pretende ser un tratado completo de este tema.

El sustantivo

A. En el inglés, existen dos maneras de indicar los géneros femenino y masculino.

1. Con cambios al final de la palabra, por ejemplo:

ESPAÑOL		INGLÉS	
Masculino	**Femenino**	**Masculino**	**Femenino**
actor	actriz	actor	actress
héroe	heroína	hero	heroin
novio	novia	bridegroom	bride
viudo	viuda	widower	widow

2. Con palabras diferentes:

ESPAÑOL		INGLÉS	
Masculino	**Femenino**	**Masculino**	**Femenino**
muchacho	muchacha	boy	girl
hombre	mujer	man	woman
tío	tía	uncle	aunt

B. EL PLURAL. Es importante notar las siguientes características de los plurales en inglés:

1. Los plurales regulares se forman agregando una S al singular:

ESPAÑOL		INGLÉS	
Masculino	**Femenino**	**Masculino**	**Femenino**
muchacha	muchachas	girl	girls
muchacho	muchachos	boy	boys
caballo	caballos	horse	horses

2. Los nombres que terminan en *s, sh, ch, x, z,* forman el plural añadiendo ES:

ESPAÑOL		INGLÉS	
Masculino	**Femenino**	**Masculino**	**Femenino**
gas	gases	gas	gases
cepillo	cepillos	brush	brushes
iglesia	iglesias	church	churches

3. Los nombres que terminan en vocal (a, e, i, o, u) en ocasiones también forman el plural añadiendo ES:

ESPAÑOL		INGLÉS	
Masculino	**Femenino**	**Masculino**	**Femenino**
héroe	héroes	hero	heroes
volcán	volcanes	volcano	volcanoes

4. Cuando un nombre termina en y precedida de consonante, el plural se forma cambiando la *y* por *ies*:

ESPAÑOL		INGLÉS	
Masculino	**Femenino**	**Masculino**	**Femenino**
ciudad	ciudades	city	cities
dama	damas	lady	ladies

5. Algunos nombres que terminan en *f* o en *fe* forman el plural utilizando *ves*:

ESPAÑOL		INGLÉS	
Masculino	**Femenino**	**Masculino**	**Femenino**
cuchillo	cuchillos	knife	knives
esposa	esposas	wife	wives
hoja	hojas	leaf	leaves

6. Algunos nombres tienen plurales irregulares:

ESPAÑOL		INGLÉS	
Masculino	**Femenino**	**Masculino**	**Femenino**
hombre	hombres	man	men
mujer	mujeres	woman	women
niño	niños	child	children

7. Algunos nombres tienen la misma forma en singular y en plural:

ESPAÑOL		INGLÉS	
Masculino	**Femenino**	**Masculino**	**Femenino**
venado	venados	deer	deer
oveja	ovejas	sheep	sheep
aceronave	aeronaves	aircraft	aircraft

El artículo

A. El artículo definido "THE" equivale a los artículos *el, la, los, las,* del español.

ESPAÑOL	INGLÉS
el árbol	the tree
la casa	the house
los árboles	the trees
las casas	the houses

B. El artículo indefinido "A" equivale a los artículos *un* y *una* del español. Cuando la palabra que va después de "A" empieza con vocal, se utiliza "AN".

ESPAÑOL	INGLÉS
un parque	a park
una calle	a street
un elefante	an elephant
una manzana	an apple

El adjetivo

A. En inglés el adjetivo se coloca antes de la palabra que califica:

ESPAÑOL	INGLÉS
casa grande	big house
cielo azul	blue sky
hombre fuerte	strong man

B. En inglés los adjetivos no tienen formas plurales. Se usa la misma palabra para el singular y el plural:

ESPAÑOL	INGLÉS
casa grande	big house
casas grandes	big houses
hombre fuerte	strong man
hombres fuertes	strong men

C. En inglés existen dos formas de expresar el comparativo en los adjetivos. Los que tienen una sílaba, y los de dos sílabas que llevan el acento en la última sílaba, forman el comparativo agregando "ER":

ESPAÑOL	INGLÉS	ORACIÓN
frío	cold	Mi casa es fría. (My house es cold.)
más frío	colder	Tu casa es más fría. (Your house is colder.)
cortés	polite	Juan es cortés. (John is polite.)
más cortés	politer	Pedro es más cortés. (Peter is politer.)

D. Los adjetivos de dos sílabas o más forman el comparativo añadiendo la palabra MORE antes del adjetivo:

ESPAÑOL	INGLÉS
bonita	beautiful
más bonita	more beautiful

E. Los adjetivos de una sílaba forman el superlativo agregando "EST":

ESPAÑOL	INGLÉS	ORACIÓN
alto	tall	Juan es alto. (John is tall.)
el más alto	the tallest	Pedro es el más alto. (Peter is the tallest.)

F. Los adjetivos de más de una sílaba forman el superlativo agregando THE MOST antes del adjetivo:

ESPAÑOL	INGLÉS
interesante	interesting
el más interesante	the most interesting

El adverbio

En inglés, muchos adverbios se forman añadiendo "LY" a un adjetivo:

ESPAÑOL		INGLÉS	
Adjetivo	**Adjetivo**	**Adjetivo**	**Adjetivo**
lento	lentamente	slow	slowly
fuerte	fuertemente	strong	strongly

Pronombres en inglés

PERSONALES		COMPLEMENTOS		POSESIVOS		ADJETIVOS POSESIVOS	
ESPAÑOL	INGLÉS	ESPAÑOL	INGLÉS	ESPAÑOL	INGLÉS	ESPAÑOL	INGLÉS
YO	I	MÍ	ME	MÍO	MINE	MI	MY
TÚ	YOU	TI	YOU	TUYO	YOURS	TU	YOUR
ÉL	HE	ÉL	HIM	SUYO	HIS	SU	HIS
ELLA	SHE	ELLA	HER	SUYO	HERS	SU	HER
	IT		IT	SUYO	ITS	SU	ITS
NOSOTROS	WE	NOSOTROS	US	NUESTRO	OURS	NUESTRO	OUR
USTEDES (VOSOTROS)	YOU	USTEDES (VOSOTROS)	YOU	SUYO (VUESTRO)	YOURS	SU (VUESTRO)	YOUR
ELLOS	THE	ELLOS	THEM	SUYO	THEIRS	SU	THEIR

Posesivos en inglés

Para indicar quién es el dueño de algo, se agrega un apóstrofe (') y una "s" al final del nombre de la persona. Por ejemplo:

ESPAÑOL	INGLÉS
Los zapatos de Beto.	Beto's shoes.
	(Betos shus)
La casa del Sr. Allen.	Mr. Allen's house.
	(MISter Alens *j*aus)

También podemos expresar posesión con adjetivos posesivos. Por ejemplo:

Esta es mi falda	This is my skirt.
	(*d*is is mai sk*ir*t)
¿Cuál es tu coche?	Which is your car?
	(*j*uich is yur car)
Su (de él) traje es negro.	His suit is black.
	(*j*is sut is blak)
Su (de ella) vestido es nuevo.	Her dress is new.
	(*j*er dres is niu)
Su (de un animal) alimento es caro.	Its food is expensive.
	(its fud is exPENsiv)

ESPAÑOL	INGLÉS
Nuestra casa es chica.	Our house is small. (aur jaus is smol)
Su (de ustedes) trabajo es excelente.	Your work is excellent. (yur uork is EXelent)
Su (de ellos) hija tiene ojos verdes	Their daughter has green eyes. (*d*er **DO**Ter *j*as grin ais)

Otra manera de hacerlo es con pronombres posesivos. Por ejemplo:

¿De quién es este libro?	Whose book is this? (*j*us buk is dis)
Es mío.	It's mine. (its main)
Es tuyo.	Its's yours. (its yurs)
Es suyo (de él).	Its's his. (its *j*is)
Es suyo (de ella).	Its's hers. (its *j*ers)
Es nuestro.	It's ours. (its aurs)
Es suyo (de ustedes).	Its's yours. (its yurs)
Es suyo (de ellos).	Its's theirs. (its *d*eirs)

Escribe oraciones como estas:

ESPAÑOL	INGLÉS
¿De quién es esta muñeca?	Whose doll is this? (jus dol is dis)
Es de Greta.	It's Greta's. (its Gretas)
Es su muñeca.	It's her doll. (its jer dol)
Es suya.	It's hers. (its jers)
¿Es tuyo este libro?	Is this your book? (is dis yur buk)
Sí.	Yes, it is. (ies it is)
Es mi libro.	It's my book. (its mai buk)
Es mío.	Its mine. (its main)
No. Es del abuelo.	No, it isn't. It's grandfather's. (nou, it isnt. Its grandfaders)

El verbo

A. El infinitivo de los verbos se dice anteponiendo la palabra TO:

ESPAÑOL	INGLÉS
HABLAR	TO SPEAK
CORRER	TO RUN
BENDECIR	TO BLESS

B. El único cambio que presentan los verbos en el tiempo presente es añadir una S a la tercera persona del singular:

ESPAÑOL	INGLÉS
Yo camino	I walk
Tú caminas	You walk
Él camina	He walks
Ella camina	She walks
Él camina (un animal)	It walks
Nosotros caminamos	We walk
Ustedes caminan (vosotros camináis)	You walk
Ellos caminan	They walk

C. Las formas interrogativa y negativa se expresan utilizando los auxiliares DO y DOES (en la tercera persona):

Interrogativo

ESPAÑOL	INGLÉS
¿Camino?	Do I walk?
¿Caminas?	Do you walk?
¿Camina él?	Does he walk?

ESPAÑOL	INGLÉS
¿Camina ella?	Does she walk?
¿Camina él?	Does it walk?
¿Caminamos?	Do we walk?
¿Caminan ustedes? (¿Camináis?)	Do you walk?
¿Caminan ellos?	Do they walk?

Negativo

(do + not = don't/ does + not = doesn't)

ESPAÑOL	INGLÉS
No camino	I don't walk
No caminas	You don't walk
Él no camina	He doesn't walk
Ella no camina	She doesn't walk
Él no camina	It doesnt walk
Nosotros no caminamos	We don't walk
Ustedes no caminan (vosotros no camináis)	You don't walk
Ellos no caminan	They don't walk

D. Para formar el pasado, se añade D. ED a los verbos regulares:

ESPAÑOL	INGLÉS
Yo trabajé	I worked
Tú jugaste	You played
Él pintó	He painted
Ella caminó	She walked
Nosotros cocinamos	We cooked
Ustedes quisieron	You wanted
Ellos llegaron	They arrived

E. El auxiliar para el interrogativo y el negativo en el pasado es DID:

ESPAÑOL	INGLÉS
¿Llegó Juana?	Did Jane arrive?
No llegó Juana.	Jane did not arrive.

En inglés hay un gran número de verbos irregulares que expresan el pasado de otra manera. Al final de este diccionario se presenta una lista de los verbos irregulares más comunes. Ejemplos:

ESPAÑOL	INGLÉS
PRESENTE: Yo como	I eat
PASADO: Yo comí	I ate
PRESENTE: Tú duermes	You sleep
PASADO: Tú dormiste	You slept
PRESENTE: Él sabe	He knows
PASADO: Él supo	He knew

Bases de la pronunciación inglesa

El inglés, a diferencia del español, no se escribe como se pronuncia. Por esa razón este manual incluye una "guía de pronunciación". Aunque muchos sonidos del inglés son parecidos a los del español, existen diferencias en la forma de pronunciarlos, en su duración o en su intensidad, y el inglés en sí tiene un ritmo diferente al del español.

Una diferencia importante es que en inglés las consonantes finales tienen que pronunciarse con fuerza. No podemos omitirlas porque cambiaríamos el significado de la palabra. Por ejemplo "bite" significa "morder" y se pronuncia "bait"; "buy" significa comprar y se pronuncia "bai". Si no decimos la "t" de "bait", estamos diciendo "comprar" en lugar de "morder".

En esta sección se presentan los sonidos del inglés comparados con los del español, e indicaciones sobre su pronunciación, para que te empieces a familiarizar con los sonidos de este idioma.

Sonidos vocálicos

Letra	Ejemplo en inglés	Como aparece en este manual	Explicación	Ejemplo de una palabra en español
A	cat (gato)	a	Sonido intermedio entre la *a* de gato y la *e* de queso	m-ae-sa (masa) combinando "a" con "e".
A	name (nombre)	ei	Como en "seis"	seis
A	father (padre)	a	Como en "paja", pero prolongado	paaaja
A	admire (admirar)	*a*	Sonido intermedio entre "e" y "o"*	
E	heat (calor)	i	Como en "misa"	misa
E	men (hombres)	e	Como en "mesa"	mesa
E	here (aquí)	ia	Como en "mía"	mía
I	right (correcto)	ai	Como en "hay"	hay
I	hit (golpear)	*I*	Como en "afirmar"	afirmar
O	top (parte de arriba	**O**	Sonido intermedio entre "a" y "o"	
O	go (ir)	ou	"o" de cómo junto a la "u" de suyo	
O	bought (compró)	o	Sonido de la "o" de por, prolongada	pooor
U	use (usar)	iu		
U	cut (cortar)	*u*	Sonido intermedio entre "e" y "o"	
OO	boot (bota)	**u**	La "u" de uno, prolongada	uuuno
OO	book (libro)	u	La "u" de burro, acortada	burro
Y	buyer (comprador)	i	Sonido de vocal, "i" como en aire	aire

* Este sonido intermedio también se escribe con otras letras. En la guía aparecerán así: *a, e, i, o, u.*

Sonidos de las consonantes

1. Algunas consonantes se pronuncian igual que en español: F, M, N, CH.
2. Algunas son parecidas a las del español, pero más fuertes: B, D, C, D, G, P, T.
3. Algunas consonantes tienen una pronunciación diferente que el español: G, H, J, R, V, W, Y, Z. Estas diferencias se explican en el siguiente cuadro.

Conso-nante	Ejemplo en inglés	Explicación	Cómo aparece en este manual
G	dog (perro)	El sonido de "g" en goma, pero aspirado	G
G	general (general)	El sonido de la "Y" argentina, casi como un "ch"	*Y*
H	hot (caliente)	Sonido aspirado, como la "j" de jerga, pero mucho más suave	*J*
J	job (trabajo)	El sonido de la "Y" argentina, con un vestigio de "ch"	*Y*
L	late (tarde)	Sonido más sonoro que la "l" española	L
R	rose (rosa)	Sonido semivocálico; se pronuncia elevando la lengua hacia el paladar	R
V	have (tener)	Sonido parecido a la "F", pero sonoro	V
W	we (nosotros)	Sonido vocálico, como el de "hueco"	U
Y	you (tú)	Sonido vocálico, como una "i"	I
Z	zebra	Como la "s" de mismo, pero sonora y vibrada	S
TH	thin (delgado)	Como la "c" de "dice" y la "z" de "azul" en la pronunciación castiza española (ponga la lengua entre los dientes y sople ligeramente)	Z
TH	then (entonces)	Sonido suave de "d", como en "cada"	*D*
NG	sing (cantar)	Como la "n" de "tengo"	NG
SH	she (ella)	Sonido que usamos para callar a alguien	SH
ZH	measure (medida)	Sonido de la "Y" Argentina	*Y*
WH	where (donde)	Como la "j" en "ajo" pero más suave	*J*

Acentos

En inglés no se escriben los acentos, como se hace en español, pero si se pronuncian. En este manual, la sílaba acentuada se escribirá con mayúsculas. Practica pronunciando los acentos de estas palabras en español:

corBAta	naRANja
cintuRÓN	teneDOR
PLANta	manZAna
pasTEL	VERde
vesTIdo	calcTÍN
PIña	ensaLAda

Los números

Número	Inglés	Pronunciación	Ordinal	# inglés	Pronunciación
0	zero	Sírou			
1	one	Uan	primero	first	fírst
2	two	Tu	segundo	second	SEcond
3	three	Zri*	tercero	third	zerd
4	four	For	cuarto	fourth	forz*
5	five	Faiv	quinto	fifth	fitz*
6	six	Six			
7	seven	Seven			
8	eight	Eit			
9	nine	Nain			
10	ten	Ten			
11	eleven	ILEven			
12	twelve	Tuelv			
13	thirteen	ZirTIN			
14	fourteen	ForTIN			
15	fifteen	FifTIN			
16	sixteen	SixTIN			
17	seventeen	SevenTIN			
18	eighteen	EiTIN			
19	nineteen	NainTIN			
20	twenty	TUENti			
30	thirty	ZIRti*			
40	forty	FORti			
50	fifty	FIFti			
60	sixty	SIXti			
70	seventy	SEventi			
80	eighty	EIti			
90	ninety	NAINti			
100	one hundred	uanHUNdred			
1000	one thousand	uan ZAUsan*			
Un millón	one million	uan MIlion			

* Recuerda que la Z se pronuncia como la C de "dice" y la Z de "azul" en España.

Ejemplos:

32	**thirty two** (Z*I*Rti tu).
78	**seventy eight** (SEventi eit).
563	**five hundred sixty three** (faiv H*U*Ndred SIXti zri).
4915	**four thousand nine hundred fifteen** (for ZAUs*a*nd nain H*U*Ndred fifTIN).

Fracciones

1/2	ONE HALF (uan *j*af).
1/3	ONE THIRD (uan z*i*rd★).
1/4	ONE FOURTH (uan forz★).

Saludos y presentaciones

ESPAÑOL	INGLÉS	PRONUNCIACIÓN
Hola, me llamo Pedro	Hi, my name is Pedro	*Jai, mai neim is* Pedro
¿Cómo te llamas?	What's your name?	*Juats yur neim?*

ESPAÑOL	INGLÉS	PRONUNCIACIÓN
¿De dónde eres?	Where are you from?	*J*uer ar yu from?
Yo soy de	I'm from	Aim from
_____	_____	_____
¿Eres de	Are you from _____?	Ar yu from
_____	_____	_____
Sí, lo soy.	Yes, I am.	Ies, ai **am**.
¿Cómo se llama ella?	What's her name?	*J*uat's hr neim?
Ella es Rosa.	This is Rosa.	*Di*s is Rosa.
¿De dónde es ella?	Where is she from?	*J*uer *i*s sh*i* from?
Es de México.	She's from Mexico	Sh*i*s from Mexico.
¿Cómo se llama él?	What's his name?	*J*uat's h*i*s neim?
Él es Mario.	This is Mario.	*Di*s is Mario.
De dónde es él?	Where is he from?	*J*uer *i*s *ji* from?
Es de Guatemala.	He's from Guatemala	*Ji*s from Guatemala.
¿Cómo se llaman ellos?	What's their name?	*J*uat's der neim?

ESPAÑOL	INGLÉS	PRONUNCIACIÓN
Ellos son Martha y Jim.	They are Martha and Jim.	*D*ei ar MarZa **a**nd J*i*m
¿De dónde son?	Where are they from?	*J*uer ar *d*ei from?
Ellos son de Chicago.	They are from Chicago.	*D*ei ar from Shic**a**gou

ESPAÑOL	INGLÉS	PRONUNCIACIÓN
Apellido	Last name	**L**ast neim
Nombre	First name	Frst neim
Trabajo	Job	**Yo**b
Edad	Age	eiy
Tiene treinta años.	He is thirty years old	*J*is ZIRti iers ould
Soltero(a)	Single	S*i*ngl

Conocer a la gente

ESPAÑOL	INGLÉS	PRONUNCIACIÓN
¿Cuál es tu nombre?	What's your first name?	Juats yur frst neim?
¿Cuál es tu apellido?	What's your last name?	Juats yur last neim?
¿Eres casado(a)?	Are you married?	Ar iu MARid?
No, soy soltero(a)	No, I'm single	Nou, aim singl.
¿Qué edad tienes?	How old are you?	Jau ould ar iu?

He is Pedro Montes
He is from Mexico
He is a bus driver

He is thirty years old
He is single

She is Laura Ríos
She is from Venezuela
She is a waitress
She is twenty [TUENti] years old
She is single

They are Sue [Su] and Jane [Yein]
They are from New York [Niu Iork]
They are students [stiudents]
They are eighteen [eiTIN] years old
They are single

I am (I'm [aim]) _____
I'm from _____
I'm a _____
I'm _____ years old
I'm single

Jobs:

Tengo experiencia   I have experience as a _____
como _____   (ai *jav* exPIriens as a _____

mecánico   car mechanic
automotriz   (kar meKAnic)

plomero   plumber
                (PLU*mer*)

jardinero   gardener
                (GARdener)

	carpintero	carpenter (CARpenter)
	cocinero (cociner)	cook (kuk)
	mesero	waiter (UEIter)
	mesera	waitress (UEItres)

carnicero	butcher (BUTcher)	
agricultor	farmer (FARmer)	
ganadero	cattleman (Katlman)	
sastre	tailor (TEIlr)	

 costurera seamstress
(SIMStres)

 modista dressmaker
(DRESMEIker)

 peluquero barber
(BARber)

 estilista hairdresser
(JEIRdreser)

pescador   fisherman
            (Fisherman)

vendedor   salesperson
(vendedora)   (SEILSperson)

pastelero   baker
            (BEIker)

zapatero   shoemaker
(que hace   (SHUmaiker)
zapatos)

zapatero
(que compone
zapatos)

cobbler
(KObler)

ebanista

wood worker
(uud UERker)

orfebre

goldsmith
(GOULDsmiz)★

platero

silversmith
(SILversmiz)★

★ Recuerda que la Z se pronuncia como la C de "dice" y la Z de "azul" en España.

relojero	watch maker (uach MEIker)	
fotógrafo	photographer (foTOgrafer)	
albañil	brick layer (brik leir)	
especialista en hormigón	concreter (conCRIter)	

vidriero   glass worker
                    (glas UORker)

electricista   electrician
                    (electTRIshen)

empapelador   paper hanger
                    (PEIper
                    JANguer)

pintor   painter
                    (PEINter)

peletero	furrier (FU*rier*)	
tornero de madera	turner (TUR*ner*)	
cestero	basket maker (BAS*ket* MEI*ker*)	
herrero	blacksmith (BLAK*smiz*)	

cerrajero metalworker
(Metl UORkr)

soldador welder
(UELder)

minero miner
(MAIner)

trabajador quarryman
de cantera (KUAri man)
stonemason
(stoun MEIson)

encuadernador   book binder
(buk
BAINder)

chofer   driver
(DRAIver)

Planes e invitaciones

ESPAÑOL	INGLÉS	PRONUNCIACIÓN
¡Vamos al cine!	Let's go to the movies!	Lets gou tu *de* MUvis!
¿Te gusta el cine?	Do you like movies?	Du yu laik MUvis?

ESPAÑOL	INGLÉS	PRONUNCIACIÓN
¿Qué clase de películas te gustan?	What types of movies do you like?	Juat taips ov MOvis du yu laik?
¡Hay una película de acción en el Plaza Cinema!	There is a good action movie at the Plaza Cinema!	Ders e gud AKshon MUvi at de PLAza SINema!
¿Te gustaría verla?	Would you like to see it?	Wud yu laik tu si it?
Podemos ir juntos.	We can go together.	ui can gou tuGEDer.
¿Dónde nos vemos?	Where shall we meet?	Juer shal ue mit?

ESPAÑOL	INGLÉS	PRONUNCIACIÓN
¡Vamos a comer juntos!	Let's have lunch together!	Lets jav lunch toGEDer!
¿Qué te gustaría comer?	What would you like to eat?	Juat wud yu laik tu it?
¿Te gusta la comida italiana?	Do you like Italian food?	Du yu laik ITAlian fud?
¡Conozco el mejor restaurante italiano de la ciudad!	I know the best Italian restaurant in town!	Ai nou de best ITAlian REStorant in taun!
Nos vemos allá a la una.	See you there at 1:00.	Si yu der at uan.

En el restaurante:

ESPAÑOL	INGLÉS	PRONUNCIACIÓN
¿Tiene una mesa para dos?	Do you have a table for two?	Du iu *jav* a TAIbl for tu?
Sí, señor. Acá junto a la ventana.	Yes, sir. Over here, near the window.	Ies, sir. Ouvr *jir*, nir *de* UINdou.

ESPAÑOL	INGLÉS	PRONUNCIACIÓN
Empezaré con la sopa.	I'll start with soup, please.	ail start uid sup, plis.
Y luego quiero un filete.	And then I'll have a steak.	And *d*en ail *j*av a steik.
¿Cómo desea su filete?	How do you like your steak?	jau du iu laik iur steik?
Bien cocido, 3/4	Well done Medium well	Uel don MIDium uel don
termino medio	done	MIDium
sancochado o	Médium	Rer
a la inglesa (casi crudo)	Rare	

ESPAÑOL	INGLÉS	PRONUNCIACIÓN
¿Y para usted, señor?	And for you, sir?	And for iu, s*i*r?
Pollo para mí, por favor.	Chicken for me, please.	CHIKen for mi, plis.
Yo prefiero pescado.	I prefer fish.	Ai pri*FER* fish.
¿Vegetales, señor?	Vegetables, sir?	VEYetabls, s*i*r?
¿Le gustaría algo de beber?	Would you like something to drink?	ud iu laik SOM*d*ing tu drink?
Sólo un poco de agua.	Just some water, please.	*Y*ust s*o*m WUAtr, plis.

ESPAÑOL	INGLÉS	PRONUNCIACIÓN
Yo quiero una cerveza.	I'll have a beer.	ail *jav a* bir.
Puedo servirle un poco más de café	Can I serve you a little more coffee?	Can ai serv iu a littl mor cofi?
No, gracias.	No, thank you.	Nou, *d*ank iu.
Sí, por favor.	Yes, please.	Ies, plis.
¿Puedo traerles algo más?	Can I bring you anything else?	Can ai bring iu ANI*d*ing els?
No, gracias. Sólo la cuenta.	No, thank you. Just the bill.	Nou, *d*ank iu. **Y**ust *d*e bil.

Hortalizas — **vegetables** (VEYetabls)

ESPAÑOL	INGLÉS SINGULAR	PLURAL
1. guisante (chícharo)	pea (pi)	peas (pis)
2. frijol (alubia)	bean (bin)	beans (bins)

ESPAÑOL	INGLÉS SINGULAR	PLURAL
3. tomate	tomato (toMEIto)	tomatoes (toMEItos)
4. pepino	cucumber (KIUk*u*mb*er*)	cucumbers (KIUk*u*mbers)
5. espárrago	asparagus (asPAR*agu*s)	asparagus (asPAR*agu*s)
7. rábano	radish (RADish)	radishes (RADishes)
8. zanahoria	carrot (KARot)	carrots (KARots)
9. perejil	parsley (PARSli)	---
10. calabaza	pumpkin (P*U*MPkin)	pumpkins (P*U*MPkins)
11. cebolla	onion (Oni*o*n)	onions (Oni*o*ns)
12. ajo	garlic (GARlik)	---
13. apio	cellery (SELeri)	---

ESPAÑOL	INGLÉS SINGULAR	PLURAL
14. espinaca	spinach (SPINich)	---
15. col de Bruselas	---	Brussels sprouts (BRUSels sprauts)
16. coliflor	cauliflower (COLiflaur)	cauliflowers (COLiflaurs)
17. col	cabbage (KABich)	cabbages (KABiches)
18. lechuga	lettuce (LETes)	---
19. alcachofa	artichoke (ARTichouk)	artichokes (ARTichouks)

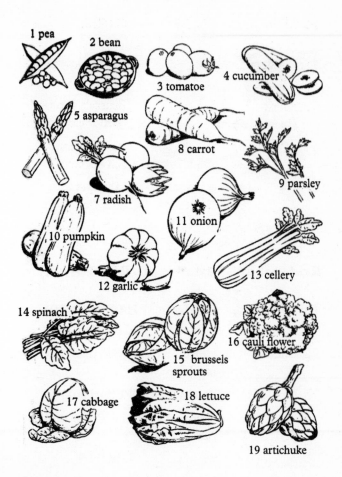

1 pea
2 bean
3 tomatoe
4 cucumber
5 asparagus
8 carrot
9 parsley
7 radish
11 onion
10 pumpkin
12 garlic
13 cellery
14 spinach
15 brussels sprouts
16 cauli flower
17 cabbage
18 lettuce
19 artichuke

Restaurant – restaurant (RESTorant)

ESPAÑOL	INGLÉS	PRONUNCIACIÓN
1. mostrador	counter	(CAUNter)
2. cafetera	coffee machine	(KOFi maSHIN)
3. repostero	pastry cook	(PEIStri kuk)
4. estante de periódicos	newspaper rack	(nius PEIpr rak)
5. mesera	waitress	(UIETres)

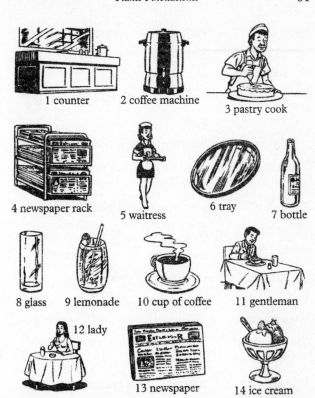

1 counter 2 coffee machine

3 pastry cook

4 newspaper rack

5 waitress

6 tray

7 bottle

8 glass 9 lemonade 10 cup of coffee 11 gentleman

12 lady

13 newspaper

14 ice cream

15 beer mug

16 beer froth 17 ashtray

18 shelf

ESPAÑOL	INGLÉS	PRONUNCIACIÓN
6. bandeja (charola)	tray	(trei)
7. botella	bottle	(botl)
8. vaso	glass	(**glas**)
9. limonada	lemonade	(LEMoNEID)
10. taza de café	cup of coffee	(c*u*p of KOfi)
11. señor	gentleman	(**YENTLman**)
12. señora	lady	(leidi)
13. periódico	newspaper	(nius PEIper)
14. helado	ice cream	(ais crim)
15. tarro de cerveza	beer mug	(bir m*u*g)
16. espuma de la cerveza	beer froth	(bir froz*)
17. cenicero	ashtray	(ash trei)
18. estante	shelf	(shelf)
19. vasos	glasses	(GLASes)
20. postre	dessert	(diSERT)
21. carta	menu	(meniu)

19 glasses

20 dessert

21 menu

22 glass of water

23 head waiter

24 ice cubes

25 napkin

26 salad plate

27 salad dressing

28 cheese

29 fish

30 meat with trimmings

31 chicken

32 fruit

33 juice

34 mineral water

35 cash desk

CAJA

36 cashier

37 salt cellar

38 pepper pot

ESPAÑOL	INGLÉS	PRONUNCIACIÓN
22. vaso de agua	glass of water	(glas of UATer)
23. jefe de meseros	head waiter	(jed UEIter)
24. cubitos de hielo	ice cubes	(ais kiubs)
25. servilleta	napkin	(NAPkin)
26. plato de ensalada	salad plate	(SALad pleit)
27. aderezo para ensalada	salad dressing	(SALad DRESing)
28. queso	cheese	(chiis)
29. pescado	fish	(fish)
30. carne con guarnición	meat with trimmings	(mit uiz TRImings)
31. pollo	chicken	(CHIken)
32. fruta	fruit	(frut)
33. jugo	juice	(yus)
34. agua mineral	mineral water	(MINeral UATer)

ESPAÑOL	INGLÉS	PRONUNCIACIÓN
35. caja	cash desk	(cash desk)
36. cajera	cashier	(kaSHIIR)
37. salero	salt cellar	(solt SELer)
38. pimentero	pepper pot	(pePER pot)

Menú

SIDE ORDERS	said ORdrs	ÓRDENES EXTRA
Bread	bred	Pan
STARTERS/ APPETIZERS	STARTrs/ apeTAIsrs	ENTRADAS/ APERITIVOS
Onion soup	ONien sup	Sopa de cebolla

Rice	rais	Arroz
DRINKS	drinks	BEBIDAS
Water	UAtr	Agua
Coffee	KOfi	Café
Tea	ti	Té
DESSERTS	diSERTS	POSTRES
Apple pie	apl pai	Tarta de manzana
Cheesecake	chis keik	Pastel de queso
Ice cream	ais crim	Helado
Yogurt	IOgert	Yogur
VEGETABLES	VEYetabls	VEGETALES
Mashed potatoes	masht poTEItes	Pure de papa
French fries	French frais	Papas fritas a la francesa
Fresh peas	fresh pis	Chícharos (arvejas, guisantes) frescos
Carrots	KARets	Zanahorias
Green salad	grin SALad	Ensalada verde
MEAT/FISH	mit/fish	CARNE/ PESCADO
Sandwich	SANDuich	Emparedado

Baked fish	beikt fish	Pescado asado
Spaghetti	spaGUEti	Espagueti
Steak	steik	Filete
Beef	bif	Carne de res
Fried chicken	fraid CHIKen	Pollo frito
Pasta	PAS ta	Pasta
Turkey	TERki	Pavo
FRUIT	frut	FRUTA
Bananas	bananas	Plátanos
Oranges	ORanyes	Naranjas
Strawberry	stro-beri	Fresas

Visita a la ciudad - Visiting the city:

INGLÉS	PRONUNCIACIÓN	ESPAÑOL
This is an interesting city.	Dis is an INTresting siti	Esta es una ciudad interesante.
What is the most interesting place in this city?	Juat is de moust INTresting plais in dis siti	¿Cuál es el lugar más interesante en esta ciudad?
The downtown area	De DAUNtaun erea	El centro
The suburbs	De SUBrbs	Los suburbios
The mall	De mol	El centro commercial
The parks	De parks	Los parques
The museums	De MIUsiums	Los museos

INGLÉS	PRONUNCIACIÓN	ESPAÑOL
The theater	De DIEtr	El teatro
The cathedral	De kaDIdral	La cathedral
The beaches	De BICHes	Las playas
Have you been downtown?	Jav iu bin DAUNtaun?	¿Has estado en el centro?
Have you visited Central Park?	Jav iu Visited SENtral park	¿Has visitado el parque central?
Yes, I have.	Ies, ai *j*av	Sí.
No, I haven't.	Nou, ai *j*avnt	No.
Would you like to go to _____.	Ud iu laik tu gou tu _____	¿Te gustaría ir a _____
Yes, of course.	Ies, ov cors.	Sí, claro.

Piropos

Estos son algunos piropos comunes en inglés:

PIROPO	PRONUNCIACIÓN	EN ESPAÑOL
1. Heaven must be missing an angel.	JEven must bi mising an EINyel	Al cielo le debe faltar un ángel.

PIROPO	PRONUNCIACIÓN	EN ESPAÑOL
2. Sorry, but you owe me a drink. [Why?] Because when I looked at you, I dropped mine.	SOri, b*u*t yu ou mi *a* dr*i*nk. [*∫*uai?] BiC*E*S *∫*uen ai lukt at yu, ai dropt main.	Lo siento, pero me debes una copa. [¿Por qué?] Porque cuando te miraba, se me cayó la mía.

PIROPO	PRONUNCIACIÓN	EN ESPAÑOL
3. There is something wrong with my cell phone. It doesn't have your number in it.	Ders SOMding rong wid mai cel foun. It dosn't hav yur number in it	Hay algo que no funciona en mi teléfono móvil. No tiene tu número guardado
4. "I was wondering if you had an extra heart. Mine seems to have been stolen."	ai was WONDring if yu had an extra hart. Main sims tu jav bin STOlen.	Me preguntaba si tienes un corazón extra. El mío parece que me lo han robado.
5. If the moon were dark, the stars would not shine; if my love were a lie my eyes would show it.	If de mun wer dark, de stars wud not shain; if mai lov wer e lai mai ais wud shou it.	Si la luna estuviera oscura, las estrellas no brillarían; si mi amor fuera mentira, mis ojos lo mostrarían.

PIROPO	PRONUNCIACIÓN	EN ESPAÑOL
6. If you were in the Titanic, your eyes would probably melt the Iceberg...	If yu wer in *d*e TaiTANic, yur eis wuld PRObabli melt *d*i AISberg.	Si estuvieras en el Titanic, tus ojos probablemente derretirían al Iceberg.
7. The shortest word I know is "I", the sweetest word I know is love, and the person I never forget is "you".	*De* SHORTest uord ai nou is "ai", *de* SUITest uord ai nou is lov, and *de* PERson ai nevr forGET is "iu".	La palabra más corta que conozco es "yo", la palabra más dulce que conozco es "amor", y la persona que nunca olvido eres "tú".
8. The light of your beauty paralyzes my actions.	*De* lait *o*f yur BIUti paralaizes mai AKsh*u*ns.	La luz de tu belleza paraliza mis acciones.

PIROPO	PRONUNCIACIÓN	EN ESPAÑOL
9. Your hand on my hand, my gaze into your eyes, your kisses in my mouth, my soul in your tenderness ... My love for you.	iur *j*and on mai *j*and, mai geiz intu iur ais, iur KISes in mAI mau*d*, mai soul in iour TENdernes ... Mai lov for iu.	Tu mano en mi mano, mi mirada en tus ojos, tus besos en mi boca, mi alma en tu ternura... Mi amor por ti.
10. You're so beautiful that you made me forget my pickup line.	iur sou BIUtiful *d*at iu meid me forGET mai pik*u*p lain.	Eres tan hermosa que me hiciste olvidar mi piropo

¿Por qué me gustas?

Lo que un chavo le diría a una chava:

ESPAÑOL	INGLÉS	PRONUNCIACIÓN
Eres alegre	You are cheerful	Iu ar CHIRful
Eres divertida	You are fun	Iu ar fen
Eres guapísima	You are gorgeous	Iu ar GORyes
Me gusta tu risa	I like your laugh	Ai laik iur laf
Me gusta tu perfume	I like your perfume	Ai laik iur PERfium
Me gusta cómo bailas	I like the way you dance	Ai laik de uay iu Dans
Me gusta tu forma de ser	I like the way you are	Ai laik de uay iu ar

Lo que una chava le diría a un chavo:

Me gustas porque puedo ser yo misma contigo.	I like you because I can be myself with you.	Ai laik iu biKOS ai can bi maiself uid iu.

ESPAÑOL	INGLÉS	PRONUNCIACIÓN
Me gusta tu sonrisa.	I like your smile.	Ai laik iur smail
Me gustan tus ojos.	I like your eyes	Ai laik iur ais
Me gusta tu forma de vestir.	I like the way you dress	Ai laik de uei iu dres
Me gusta que seas romántico.	I like you to be romantic	Ai laik iu tu bi roMANtic
Me gusta que seas caballeroso.	I like you to be gentlemanly	Ai laik iu tu bi YENTLmanli
Me gusta la emoción que me haces sentir.	I like the emotion you make me feel.	Ai laik de emoSHUN iu meik mi fil

¡En otras palabras, te quiero!

¡En otras palabras, te quiero!	In other words, I like you!	In Eder uords, ai laik iu
Te amo	I love you!	Ai luv iu
Te adoro	I adore you!	Ai aDOR iu

Temas de conversación

¿Qué haces en tu tiempo libre?

ESPAÑOL	INGLÉS	PRONUNCIACIÓN
¿Qué haces en tu tiempo libre?	What do you do in your free time?	∫uat du iu du in yur fri taim?
Me gusta estar en el jardín.	I like to be in the garden.	Ai laik tu bi in de GARdn
Riego las plantas	I water the plants.	Ai UATr de plants

ESPAÑOL	INGLÉS	PRONUNCIACIÓN
Tengo algunas macetas en casa.	I have some flower pots at home	Ai *j*av som flaur pots at houm
La jardinería no es un pasatiempo caro.	Gardening is not an expensive hobby.	GARdening is not an exPENsiv *j*obi
La jardinería es un pasatiempo relajante.	Gardening is a relaxing hobby.	GARdening is e reLAXing *j*obi
Mis plantas favoritas son __	My favorite plants are ___	Mai FEIvorit plants ar ___

Pasatiempos populares – Popular Hobbies

Diálogo básico para hablar de los pasatiempos

ESPAÑOL	INGLÉS	PRONUNCIACIÓN
¿Cuál es tu pasatiempo favorito?	What's your favorite hobby?	Juats yur FAIvorit *j*obi?
Mi pasatiempo favorito es	My favorite hobby is	Mai FAIvorit *j*obi is
_____	_____	_____

ESPAÑOL	INGLÉS	PRONUNCIACIÓN
¿Cuál es tu deporte favorito?	What's your favorite sport?	Juats yur FAIvorit sport?
Mi deporte favorito es _____	My favorite sport is _____	Mai FAIvorit sport is _____
Disfruto mucho _____	I really enjoy _____	Ai rili ENyoi _____
¿Te gusta _____?	Do you like _____?	Du yu laik _____?
Sí, me gusta.	Yes, I do.	Ies, ai du.
No, en realidad no.	No, I really don't.	Nou, ai rili dount.
Prefiero _____	I prefer _____	Ai priFER _____
Leer	Reading	RIding
Ver televisión	Watching TV	UATching ti vi
Ir al cine	Going to the movies	Going tu de MUvis
Jardinería	Gardening	GARdening

ESPAÑOL	INGLÉS	PRONUNCIACIÓN
Rentar películas	Renting movies	RENTing MUvis
Hacer ejercicio	Doing exercise	Duing EXersais
Escuchar música	Listening to music	LISening tu MIUsik
Jugar deportes	Play sports	Plai sports
Viajar	Traveling	TRAveling
Coser	Sewing	SOing
Tocar música	Playing music	PLAYing MIUsic
Artesanías	Crafts	Krafts
Andar en bicicleta	Bicycling	BAIsicling
Jugar cartas	Playing cards	PLEing kards
Cocinar	Cooking	KUking
Nadar	Swimming	SUIMing
Acampar	Camping	KAMPing
Trabajar en los coches	Working on cars	UORKing
Escribir	Writing	RAIting
Bailar	Dancing	DANsing
Fotografía	Photography	foTOgrafi
Observar las estrellas	Star watching	Star UATching

ESPAÑOL	INGLÉS	PRONUNCIACIÓN
Observar aves	Bird watching	Bird UATching
Hacer trucos de magia	Playing magic tricks	PLEing MAYik triks

¿Por qué me gusta ese pasatiempo?

PASATIEMPO	RAZÓN	EN ESPAÑOL
Reading	Each book is a new world. [ich buk is a niu uorld]	Cada libro es un mundo nuevo.
Watching TV	I have fun and I relax	Me divierto y me relajo.
Going to the movies	Because of the show and the company. [biCOS ov de shou and the KOMpani]	Por el espectáculo y la compañía.
Gardening	I like to see plants grow. [ai laik to si plants grou]	Me gusta ver cómo crecen las plantas
Renting movies	I choose what I like to see. [ai chus juat ai laik tu si]	Escojo lo que me gusta ver.

PASATIEMPO	RAZÓN	EN ESPAÑOL
Doing exercise	I feel full of energy. [ai fil ful ov ENeryi]	Me lleno de energía.
Listening to music	It creates for me an environment of life and energy. [it criEITS for mi an enVAIRonment ov laif and ENeryi.]	Me crea todo un ambiente de vida y energía.
Play sports	I enjoy the competition and the exercise. [ai enYOI de kompeTISHon and di EXrsais	Disfruto la competencia y el ejercicio
Traveling	I can see lots of new things. [ai kan si lats ov niu dings]	Conozco muchas cosas nuevas
Sewing	It is creative. [its criEItiv]	Es creativo.

PASATIEMPO	RAZÓN	EN ESPAÑOL
Playing music	I share my music with others. [ai sher mai miusik uid ODrs]	Comparto mi música con otros.
Crafts	Because you always have something new to do [biKUS iu OLueis hav SOMzing niu tut u]	Porque siempre tienes algo nuevo que hacer.
Bicycling	It is good exercise. [its gud EXersais]	Es buen ejercicio.
Playing cards	You spend a good time with friends [iu spend e gud tai muid frends]	Pasas un buen rato con los amigos.
Cooking	I like to create new tastes. [ai laik tu kriEIT niu teists]	Me gusta crear nuevos sabores.

PASATIEMPO	RAZÓN	EN ESPAÑOL
Swimming	I feel fresh and the exercise is great. [ai fil fresh and di EXrsais is greit]	Me refresca y el ejercicio es bueno.
Camping	It is the best adventure. [its de best adVENchur]	Es la mejor aventura.
Working on cars	It is a challenge and I enjoy it. [its e CHALiny and ai enYOI it]	Es un reto y lo disfruto
Writing	It awakens my imagination. [it aUAIKns mai imayiNEIshun]	Despierta mi imaginación
Dancing	Rhythm and motion fill me with energy. [ridm and MOshun fil mi uid ENeryi]	El ritmo y el movimiento me llenan de energía

PASATIEMPO	RAZÓN	EN ESPAÑOL
Photography	Its an art and a good way to keep a record of your adventures. [its an art and a gud uei tu kip a REKrd ov iur adVENchurs]	Es un arte y una buena forma de registrar tus aventuras
Star watching	It makes you travel to infinity. [it meiks iu TRAvl tu inFINiti]	Te hace viajar al infinito
Bird watching	I like to see animals in freedom. [ai laik tu si Animals in FRIdom]	Me gusta ver animales en libertad.
Playing magical tricks	I like to surprise people. [ai laik to srPRAIS PIpl]	Me gusta sorprender a la gente.

Deportes populares – Popular Sports

ESPAÑOL	INGLÉS	PRONUNCIACIÓN
Esquiar	Skiing	SKIing
Navegar	Boating	BOUting
Motociclismo	Motorcycling	MOTRsaikling
Boliche	Bowling	BAUling
Correr	Running	RUNing
Montar	Horseback Riding	JORSbak RAIding
Billar	Billiards	BILards
Patinar en hielo	Ice skating	Ais SKEIT ing
Montañismo	Mountaineering	MAUNTn iring
Paracaidismo	Parachuting	paraCHUT ing
Hacer ejercicio	Exercising	EXrsaising

Collecting...

Estampillas de correo	Stamps	Stamps
Insignias	Badges	BADyes
Tarjetas postales	Postcards	Postcards
Monedas	Coins	Coins

ESPAÑOL	INGLÉS	PRONUNCIACIÓN
Muñecas	Dolls	Dols
Libros antiguos	Old books	Ould buks
Hojas de árbol	Tree leaves	Tri livs
Mariposas	Butterflies	BOTerflais
Conchas	Sea shells	Si shels
Coches de juguete	Toy cars	Toi cars

Dialogue:

Te gusta coleccionar cosas?	Do you like to collect things?	Du yu laik tu colect zings?
Yo colecciono _____.	I collect _____.	ai colect _____.
Son muy interesantes.	They are very interesting.	dei ar very INTresting.
Te gustaría verlos?	Would you like to see them?	Wud yu laik tu si dem?

Compartir sueños

Qué es lo que más te gustaría hacer

ESPAÑOL	INGLÉS	PRONUNCIACIÓN
¿Qué es lo que más te gustaría hacer?	What would you like to do most?	Juat ud iu laik to du moust
Me gustaría…	I'd like to…	Aid laik tu ….
Viajar a lugares interesantes.	Travel to interesting places	TRAvl tu INtresting PLEIses
Ir a la universidad.	Go to the university.	Gou tu de iuniVERsiti

ESPAÑOL	INGLÉS	PRONUNCIACIÓN
Trabajar en un museo.	Work in a museum.	Uork in e miuSIUM
Tener una familia.	Have a family.	Jav e Famili
Comprar una casa.	Buy a house.	Bai e jaus
Aprender a bailar.	Learn how to dance.	Lern jau tu dans
Vivir en Canadá.	Live in Canada.	Liv in CANada
Visitar Europa.	Visit Europe.	VISit iurop

Travel by	Train – plane – car – boat – helicopter – sailboat
Go	To a concert – dancing – to a party – swimming – skating
Work in	An office – a factory – a restaurant – a school – an airline
Have a	New car – a house – a pet dog – a new CD – a new jacket
Buy	Shoes – ice cream – a magazine – a laptop – a new cell phone

Learn how to	Drive – speak English well – play the guitar – ride a bike
Live in	London – New York – an island – Rome – Greece – Switzerland
Have a vacation in	The beach – the country – the mountains – the forest – a luxury hotel

TÍTULOS DE ESTA COLECCIÓN

Diccionario español/inglés

El abc del inglés

Inglés para enamorar

Inglés para la ciudadanía

Inglés para la vida diaria

Las 4 000 palabras más usadas en inglés

Impreso en Offset Libra

Francisco I. Madero 31

San Miguel Iztacalco,

México, D.F.